Clifford the Firehouse Dog

Clifford el perro bombero

Norman Bridwell

SCHOLASTIC INC.

For Maxwell Bruno Wayne

Para Maxwell Bruno Wayne

ISBN 978-0-545-61569-3

12 11 10 9 8 7 6 5 4 3 2 1 13 14 15 16 17 18

Printed in the U.S.A. 23
This edition first printing, April 2013
Colorist: Manny Campana

My name is Emily Elizabeth, and this is my dog, Clifford.
Clifford is not the oldest in his family, but he's the biggest.

Me llamo Emily Elizabeth, y este es mi perro, Clifford.
Clifford no es el mayor de su familia, pero es el más grande.

Last week Clifford and I went to the city to visit Clifford's brother, Nero. Clifford knew the way.

La semana pasada Clifford y yo fuimos a la ciudad a visitar a su hermano, Nero. Clifford conocía el camino.

Nero lives in a firehouse. He is a fire rescue dog.

Nero vive en una estación de bomberos. Es un perro de rescate.

I asked the firefighters if Clifford could help them.
They thought he was the right color for the job.

Les pregunté a los bomberos si Clifford podía ayudarlos.
Todos pensaron que su color era perfecto para el trabajo.

Just then a group of schoolchildren came in for a fire safety class.

En ese momento llegó un grupo de estudiantes para tomar una clase sobre medidas de seguridad en caso de incendio.

Nero showed them what to do if their clothing was on fire.

Nero les enseñó lo que tenían que hacer si sus ropas se incendiaban.

To smother the flames, you stop, drop to the floor, and roll until the fire is out.

Para apagar las llamas, te detienes, te tiras al suelo y das vueltas hasta que se apague el fuego.

Clifford thought he could do that. He repeated the lesson for the class.

Clifford pensó que él podía hacerlo. Repitió la lección para la clase.

He stopped.

Se detuvo.

He dropped.

Se tiró al suelo.

He rolled.

Dio vueltas.

He rolled a little too far.

Pero dio demasiadas vueltas.

Just then, we heard the siren. There was a fire!

Entonces, escuchamos la sirena. ¡Había un incendio!

Nero stayed to guard the children. Clifford and I ran ahead.

Nero se quedó para cuidar a los niños. Clifford y yo salimos de primeros.

He cleared the street for the fire trucks.

Clifford les abrió el paso a los camiones de bomberos.

Smoke was pouring from the top floor of a tall building. Clifford pushed the crowd back to a safe place.

Salía mucho humo del último piso de un edificio alto. Clifford mantuvo a la gente alejada en un lugar seguro.

He saw some people in trouble.

Vio a unas personas en peligro.

Clifford to the rescue!

¡Clifford salió al rescate!

The heavy hose was hard to unreel.
Clifford gave the firefighters a hand.

La pesada manguera era difícil de desenrollar.
Clifford les dio una mano a los bomberos.

But then he saw that the fire hydrant was stuck shut.

Pero entonces se dio cuenta de que el hidrante estaba atascado.

Thank goodness Clifford was there to unstick it.

Por suerte, Clifford estaba allí para abrirlo.

They had to get the smoke out of the building. Clifford made a hole in the roof.

Había que sacar el humo del edificio. Clifford abrió un hueco en el techo.

The firefighters were calling for more water.

Los bomberos necesitaban más agua.

Clifford found some.

Clifford la encontró.

He helped clear the smoke away.

Ayudó a dispersar el humo.

When the fire was out, Clifford made sure that the firefighters got out of the building safely.

Cuando apagaron el incendio, Clifford se aseguró de que los bomberos estuvieran a salvo.

They were grateful for everything he had done to help.

Estaban muy agradecidos por todo lo que había hecho para ayudarlos.

We gave some firefighters a ride back to the firehouse.

Llevamos a algunos bomberos hasta la estación.

Clifford was a hero! The fire chief made him an honorary fire rescue dog, just like his brother, Nero.

¡Clifford era un héroe! El jefe de los bomberos lo nombró bombero de rescate honorario, como su hermano, Nero.

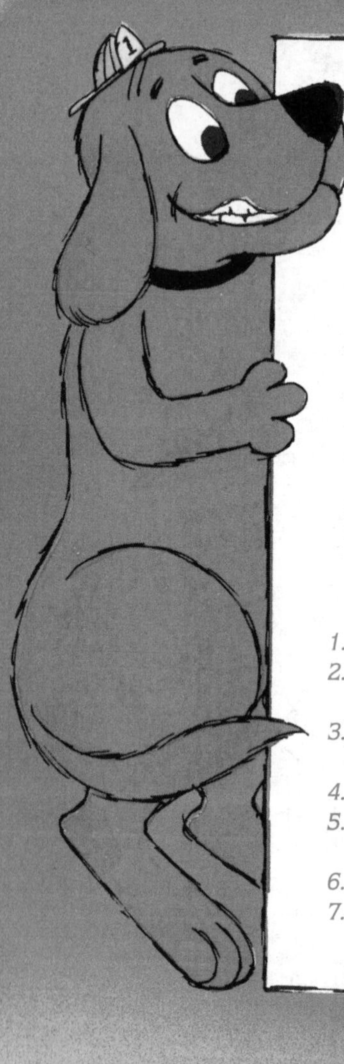

Clifford

FIRE SAFETY RULES

1. If there is a fire, call 911.
2. Know two different ways out of your house or apartment building
3. Choose a place nearby where you and other members of your family can meet if you have to leave the house and get separated.
4. Never go back into your house for anything if the building is on fire.
5. Tell your mom or dad to change the battery in your smoke alarms every year on your birthday.
6. Do NOT play with matches.
7. Never use the stove without an adult.

MEDIDAS DE SEGURIDAD EN CASO DE INCENDIO

1. *Si hay un incendio llama al 911.*
2. *Asegúrate de que conoces dos maneras de salir de tu casa o apartamento.*
3. *Selecciona un lugar cercano a tu casa donde puedas reunirte con tus familiares si tienen que salir rápidamente y se separan.*
4. *Nunca entres en la casa, por ninguna razón, si hay un incendio.*
5. *Dile a tus padres que cambien la batería de la alarma de incendio todos los años el día de tu cumpleaños.*
6. *NO juegues con fósforos.*
7. *Nunca prendas la estufa sin la ayuda de un adulto.*